这是我的书
It's MY BOOK
6级：300字

谁家的可可

美丽的巴黎

原作：胡一毕（Yibi Hu）
改编：秦志宁（Zhining Chin）

北京语言大学出版社
BEIJING LANGUAGE AND CULTURE UNIVERSITY PRESS

PHOENIX TREE
PHOENIX TREE PUBLISHING INC.

识读　面包 点心 站 河边 图片

句型　一……就……

字数　304字

yí dào fàng jià kě kě yì jiā jiù huì cóng yīng guó qù
一到放假，可可一家就会从英国去
fǎ guó bā lí guò le hǎi xiá jiù dào le tiān kōng
法国巴黎，过了海峡就到了。天空
lán lán de lù páng yǒu shí tou rén xiàng hé qīng tóng dà
蓝蓝的，路旁有石头人像和青铜大
mǎ hòu miàn shì gāo gāo de tiě tǎ zhēn hǎo kàn
马，后面是高高的铁塔，真好看！

xià wǔ de yáng guāng bǎ bā lí zhào de nuǎn nuǎn de
下午的阳光把巴黎照得暖暖的，

hěn duō rén zài lù biān de miàn bāo diàn li chī diǎn xin
很多人在路边的面包店里吃点心、

hē kā fēi xiǎo niǎo yě zài lù biān fēi lái fēi qù
喝咖啡，小鸟也在路边飞来飞去。

kě kě kàn jiàn xiǎo niǎo zhàn zài lù biān jiù gāo xìng de
可可看见小鸟站在路边，就高兴地
pǎo guo qu xiǎo niǎo nǐ men hǎo xiǎo niǎo xià
跑过去：“小鸟，你们好！”小鸟吓
de dōu fēi zǒu le
得都飞走了。

miàn bāo diàn li yǒu hěn duō hǎo chī de dōng xi dàn
面包店里有很多好吃的东西：蛋
gāo bǐng gān miàn bāo tián tián quān hái yǒu chéng
糕、饼干、面包、甜甜圈，还有橙
zhī xī guā zhī kě kě zhēn xiǎng měi yàng dōu chī
汁、西瓜汁。可可真想每样都吃
yì diǎnr
一点儿。

yì tiáo wān wān qū qū de hé cóng bā lí shì zhōng xīn liú guò
一条弯弯曲曲的河从巴黎市中心流过，

zhè shì sài nà hé hé shang de chuán lái lái wǎng wǎng hé de
这是塞纳河。河上的船来来往往，河的

liǎng biān shì měi lì de gōng diàn hé bó wù guǎn hái yǒu jǐ gè
两边是美丽的宫殿和博物馆，还有几个

yì shù xué xiào bā lí shì quán shì jiè de yì shù zhōng xīn
艺术学校。巴黎是全世界的艺术中心。

sài nà hé biān yǒu hěn duō mài tú piàn hé huà cè de
塞纳河边有很多卖图片和画册的
xiǎo shū tān zhè li yǒu rén zài biǎo yǎn yì shù yǒu
小书摊。这里有人在表演艺术，有
rén zài huà huàr hái yǒu rén zài lā qín chàng gē
人在画画儿，还有人在拉琴、唱歌。

kě kě yì jiā zài hé biān gàn shén me ne bà
可可一家在河边干什么呢？“爸
ba mā ma zuò zài yì qǐ xiǎo dì di bǎ tóu zhuǎn
爸妈妈坐在一起，小弟弟把头转
guo lai kàn zhè jiù shì kě kě gěi tā men pāi
过来！”看，这就是可可给他们拍
de zhào piàn
的照片。

1 一到放假，可可一家就会从英国去法国巴黎，过了海峡就到了。天空蓝蓝的，路旁有石头人像和青铜大马，后面是高高的铁塔，真好看！

2 下午的阳光把巴黎照得暖暖的，很多人在路边的面包店里吃点心、喝咖啡，小鸟也在路边飞来飞去。

3 可可看见小鸟站在路边，就高兴地跑过去："小鸟，你们好！"小鸟吓得都飞走了。

4 面包店里有很多好吃的东西：蛋糕、饼干、面包、甜甜圈，还有橙汁、西瓜汁。可可真想每样都吃一点儿。

5 一条弯弯曲曲的河从巴黎市中心流过，这是塞纳河。河上的船来来往往，河的两边是美丽的宫殿和博物馆，还有几个艺术学校。巴黎是全世界的艺术中心。

6 塞纳河边有很多卖图片和画册的小书摊。这里有人在表演艺术，有人在画画儿，还有人在拉琴、唱歌。

7 可可一家在河边干什么呢？"爸爸妈妈坐在一起，小弟弟把头转过来！"看，这就是可可给他们拍的照片。

1

2

3

4

5

6

7